아서 스타터 워크북 11

아서의 수수께끼 베이비시터

글·그림 마크 브라운

등장인물

케이트

아서와 D.W.의 여동생. 가족 모두의 사랑을 듬뿍 받는다.

아빠

아서의 아빠. 다양한 요리로 늘 아서의 가족을 놀라게 한다.

엄마

아서의 엄마. 회계사로 언제나 바쁘게 일한다.

팔

아서 가족의 반려견. 사고뭉치이지만 아서를 잘 따른다.

베이비시터

수수께끼 같은 베이비시터는 누구일까요?

Contents

본 워크북에 담긴 한국어 번역의 페이지는 영어 원서의 페이지와 동일하게 유지했습니다.
영어 원서를 읽다가 이해가 가지 않는 부분이 있다면, 워크북의 같은 페이지를 펼쳐 보세요! 궁금한 부분의 번역을 쉽게 확인할 수 있습니다.

영어 원서를 100 단어 기준으로 총 세 개의 파트로 나누어, 각 파트별로 다양한 액티비티를 담았습니다. 재미있게 영어 원서를 읽고 액티비티를 풀어 나가다 보면 영어 실력도 쑥쑥 향상될 것입니다!

부록으로 제공되는 MP3 CD에는 '듣기 훈련용 오디오북'과 '따라 읽기용 오디오북'의 두 가지 오디오북이 담겨 있습니다.
'듣기 훈련용 오디오북'은 원어민 전문 성우가 녹음한 오디오북으로 재미있는 효과음이 곁들여져 원서의 내용을 실감나게 이해하도록 도울 것입니다.
'따라 읽기용 오디오북'은 초보 학습자들을 위한 오디오북으로 효과음을 제거하고 조금 더 천천히 녹음한 것으로 학습용으로 사용하기에 유용할 것입니다.

엄마와 아빠는 나갈 준비를 하고 있었습니다.

“누가 오늘 밤 우리를 돌봐 줄 거예요?” D.W.가 물었습니다.

아빠는 엄마를 바라보았습니다. “깜짝 놀랄 만한 사람이란다.” 아빠가 말했습니다.

“우리는 늘 오던 베이비시터들에게 익숙해졌어요.” D.W.가 말했습니다.

“그리고 그들도 우리에게 익숙하죠.” 아서가 덧붙였습니다.

“우리는 수수께끼 같은 베이비시터를 원하지 않아요!” D.W.가 주장했습니다.

“우리에게 늘 오던 베이비시터들은 모두 바쁘단다.” 아빠가 말했습니다.
“우리는 이 사람을 부를 수 있어서 운이 좋았어.”

D.W.는 운이 좋다고 생각하지 않았습니다.

“우리의 수수께끼 같은 베이비시터가 케이트에 대해서 알아요?” 그녀가 물었습니다.

“어떤 베이비시터들은 아기를 좋아하지 않아요.”

“이 베이비시터는 케이트에 대해 모두 알고 있단다.” 아빠가 말했습니다.

“걱정하지 마, 모든 것이 괜찮을 거야.”

하지만 아서와 D.W.는 걱정스러웠습니다.

"만약 베이비시터가 해적이면 어쩌지?" D.W.가 말했습니다.

"해적은 우리가 사소한 실수를 하나만 해도 좋아하지 않을 거야."

“아니면 그 사람이 로봇이면 어떡해?” D.W.가 계속 말했습니다.
“우리에게 이리저리 명령하는 정말 권위적인 로봇 말이야.”

"만약 그 사람이 우주에서 온 외계인이라면 어떡하지?" 아서가 말했습니다.

"변장한 외계인. 대규모 침공 전에 지구를 둘러보기 위해서 온 외계인 말이야."

그는 헉 하고 숨을 쉬었습니다. "아니면 심지어 그것보다 더 나쁠 수도 있어!"

D.W.가 침을 꿀꺽 삼켰습니다. "뭐가 우주에서 온 외계인보다 더 나쁠 수 있는데?"

Bert
Bert
HUMAN STUDY
Food
PETS
CHILDREN
HEIGHT
WEIGHT

"랫번 선생님." 아서가 말했습니다. 그는 몸을 떨었습니다.

"나는 선생님이 우리에게 모든 종류의 연습 문제를 풀게 할 거라고 장담해."

초인종이 울렸습니다.

“지금 분명 수수께끼 같은 베이비시터가 온 걸 거야.” 아빠가 말했습니다.

“시간에 딱 맞춰서 왔네. 좋은 징조인걸, 그렇게 생각하지 않아요, 여보?”

엄마가 고개를 끄덕였습니다.

아서와 D.W.는 숨을 죽였습니다.

문이 열렸습니다.

"도라 할머니!" 아서와 D.W.가 소리쳤습니다.

"할머니가 수수께끼 같은 베이비시터였어요?"

"물론이지." 그녀가 말했습니다.

D.W.는 위아래로 폴짝폴짝 뛰었습니다.

“도라 할머니, 저는 할머니가 해적이 아니어서 정말 기뻐요. . .

또는 거대한 로봇이나. . .

아니면 우주 외계인도

아니어서요."

"또 랫번 선생님도 아니니까요."

아서가 덧붙였습니다.

“고맙다, 얘들아.” 도라 할머니가 말했습니다. “나 또한, 너희를 사랑한단다.”

Activities

영어 원서를 총 세 개의 파트로 나누어,
각 파트별로 다양한 액티비티를 담았습니다.

각 파트의 영어 원서 페이지는 롱테일북스에서 출간된
'롱테일 에디션'을 기준으로 합니다!

Vocabulary Part 1

준비가 된

ready

외출하다

go out

보살피다, 처리하다

take care of

오늘 밤

tonight

뜻밖의 일, 놀라운 소식

surprise

보통의, 평상시의

regular

베이비시터

babysitter

덧붙이다, 더하다

add

수수께끼

mystery

주장하다, 우기다

insist

바쁜

busy

운이 좋은

lucky

어떤, 몇몇의

some

좋아하다

like

아기

baby

걱정하다

worry

모든 것, 모두

everything

괜찮은; 잘, 좋게

fine

Word Review Part 1

A 알파벳을 바르게 배열하여 그림에 맞게 단어를 완성해 보세요.

1 

d d a

a

2 

s y u b

3 

d r a e y

B 알파벳을 바르게 써넣어 그림에 알맞은 단어를 완성해 보세요.

1 

to n i ___ t

2 

w ___ ry

3 

___ gu ___ ar

C 그림을 보고 알맞은 단어를 퍼즐에서 찾은 뒤, 빈칸에 단어를 써 보세요.

y	o	d	i	b	a	b	y
l	i	k	e	x	l	j	n
u	c	z	d	i	u	p	f
c	j	b	p	l	n	k	i
k	w	k	m	s	i	o	n
y	g	n	a	d	k	a	e
e	v	o	x	w	c	s	g
r	m	y	s	t	e	r	y

1

lucky

2

____

3

____

4

____

5

____

Wrap Up! Part 1

A 이야기의 순서에 맞게 번호를 적어 보세요.

D.W. didn't feel good
about the mystery babysitter.

1

Mom and Dad
were about to go out.

Mom and Dad couldn't get
their regular babysitter.

The mystery babysitter
would know all about Kate.

B 각 단어에 알맞은 그림을 찾고, 이를 설명하는 문장을 찾아 바르게 이어 보세요.

go out

Mom and Dad were getting ready to go out.

insist

Some babysitters might not like babies.

baby

D.W. insisted on their regular babysitters.

worry

Arthur and D.W. worried about Kate.

C 다음 그림을 보고 아래의 단어를 알맞게 넣어 문장을 완성해 보세요.

lucky worried care

1. The mystery babysitter would also take ________ of Kate.
2. D.W. didn't feel ________ to have the mystery babysitter.
3. D.W. ________ that the mystery babysitter didn't like babies.

D 책의 내용과 일치하면 TRUE에, 그렇지 않으면 FALSE에 동그라미를 그려 보세요.

1. Mom and Dad were busy taking care of Kate. TRUE FALSE
2. D.W. asked who their babysitter would be. TRUE FALSE
3. Arthur wanted a mystery babysitter. TRUE FALSE
4. Mom and Dad felt lucky to get the mystery babysitter. TRUE FALSE

E 다음 질문에 대한 알맞은 답을 골라 보세요.

Why did D.W. NOT want a mystery babysitter?

a. She didn't like surprises.

b. She was used to their regular babysitters.

c. She wanted to go out with Mom and Dad.

Let's Write! Part 1

A 우리말에 맞게 알맞은 짝을 찾아 바르게 연결하고 완성된 문장을 두 번씩 써 보세요.

1 We're used to	the regular babysitters.
2 We don't want	to get this one.
3 We were lucky	all about Kate.
4 This babysitter knows	a mystery babysitter!

1 우리는 늘 오던 베이비시터들에게 익숙해졌어요.

We're used to the regular babysitters.

2 우리는 수수께끼 같은 베이비시터를 원하지 않아요!

3 우리는 이 사람을 부를 수 있어서 운이 좋았어.

4 이 베이비시터는 케이트에 대해 모두 알고 있단다.

Vocabulary Part 2

해적

pirate

아주 작은, 조그마한

tiny

실수, 잘못

mistake

로봇

robot

말을 계속하다

go on

우두머리 행세를 하는

bossy

명령하다

order

외계인

alien

외부의, 바깥의

outer

우주

space

변장

disguise

침공, 침략

invasion

(놀라서) 헉 하고 숨을 쉬다

gasp

침을 꿀꺽 삼키다

gulp

떨다

shiver

~을 장담하다, ~이 틀림없다

bet

연습; 연습하다

practice

숙제

homework

Word Review Part 2

A 알파벳을 이어서 알맞은 그림과 연결하고, 빈칸에 완성된 단어를 써 보세요.

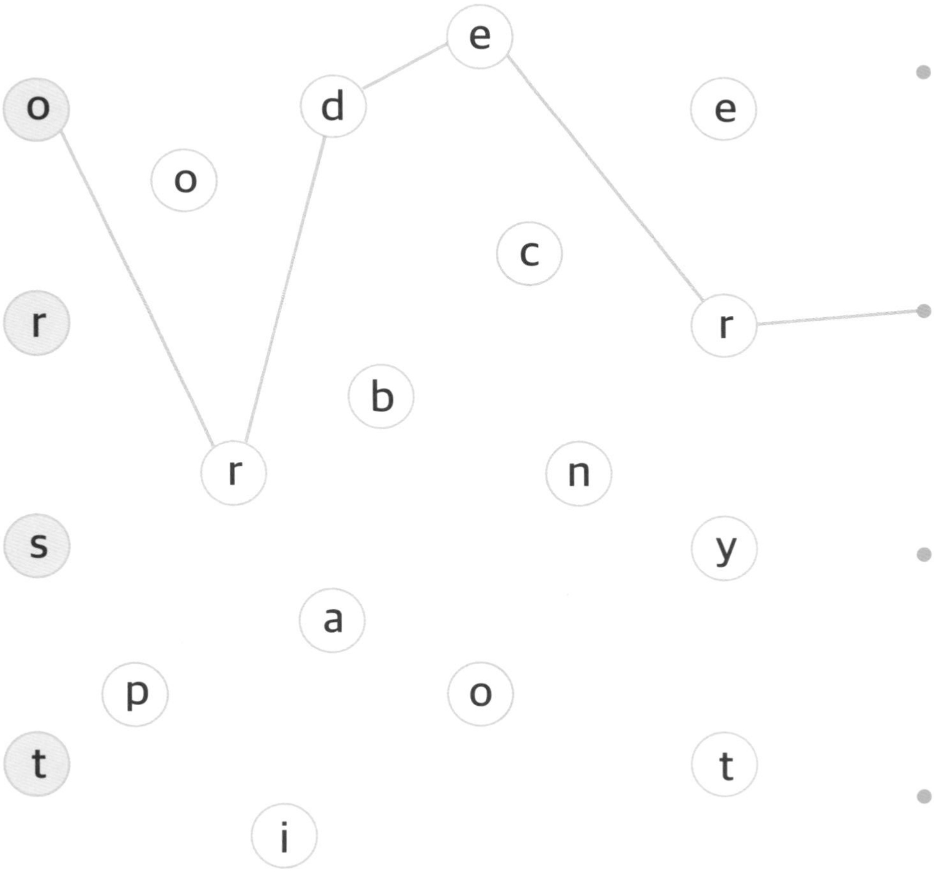

order

B 그림을 보고 같은 색깔의 알파벳을 바르게 배열하여 빈칸에 써 보세요.

o i p

u t r a

e r i l a t e

i v e n r e c i

s r a c p

h e t

1

pirate

2

3

4

5

Wrap Up! Part 2

A 이야기의 순서에 맞게 번호를 적어 보세요.

Arthur and D.W.
started thinking.

Mr. Ratburn could
come to babysit them.

A robot could be
the mystery babysitter.

Arthur thought
about an alien babysitter.

B 두 개의 문장 중 오른쪽에 있는 그림을 바르게 설명하는 문장을 골라 보세요.

1
ⓐ A pirate would not like tiny little mistakes.
ⓑ A pirate would not like little babies.

2
ⓐ D.W. worried about a robot babysitter.
ⓑ D.W. wanted to be at home by herself.

3
ⓐ Arthur didn't want an alien invasion.
ⓑ Arthur didn't want to do all the homework.

4
ⓐ Mr. Ratburn could be the worst.
ⓑ An alien could be worse than Mr. Ratburn.

C 다음 그림을 보고 아래의 단어를 알맞게 넣어 문장을 완성해 보세요.

disguise alien gasped

1 Arthur worried that an ______________ would be their babysitter.

2 The alien babysitter would be in ______________ .

3 Arthur ______________ and thought of someone worse than aliens.

D 책의 내용과 일치하면 TRUE에, 그렇지 않으면 FALSE에 동그라미를 그려 보세요.

1. Arthur and D.W. worried about the mystery babysitter. TRUE FALSE
2. D.W. wanted a pirate as their babysitter. TRUE FALSE
3. A robot babysitter would order D.W. around. TRUE FALSE
4. The mystery babysitter was an alien disguised as Mr. Ratburn. TRUE FALSE

E 다음 질문에 대한 알맞은 답을 골라 보세요.

What kind of thought made Arthur shiver?

a. Making tiny little mistakes before a pirate

b. Mr. Ratburn as their babysitter

c. An alien invasion

Let's Write! Part 2

A 오늘 공부한 문장을 따라 써 보세요.

1 아서와 D.W.는 걱정스러웠습니다.

Arthur and D.W. were worried.

2 그 사람이 로봇이면 어떡해?

What if it's a robot?

3 만약 그 사람이 우주에서 온 외계인이라면 어떡하지?

What if it's an alien from outer space?

4 심지어 그것보다 더 나쁠 수도 있어!

It could even be worse than that!

5 뭐가 외계인보다 더 나쁠 수 있는데?

What could be worse than aliens?

6 그는 몸을 떨었습니다.

He shivered.

Vocabulary Part 3

초인종

doorbell

(벨이) 울리다 (과거형 rang)

ring

지금

now

정시에, 정각에

on time

좋은

good

생각하다

think

(고개를) 끄덕이다
(과거형 nodded)

nod

숨, 입김

breath

열다

open

할머니

grandma

소리치다, 외치다

shout

물론

of course

뛰다, 점프하다

jump

기쁜, 좋은, 반가운

glad

거대한, 엄청나게 큰

giant

고마워하다, 감사하다

thank

아이

kid

사랑하다, 대단히 좋아하다

love

Word Review Part 3

A 그림을 보고 알파벳 속에서 맞는 단어를 찾아 빈칸에 써 보세요.

soubreathwnjumpaitnodsgmhshoutdpydoorbellmaigtngrandmao

1

breath

2

3

4

5

6

B 그림을 보고 알맞은 단어를 퍼즐에 넣어 완성한 뒤, 빈칸에 단어를 써 보세요.

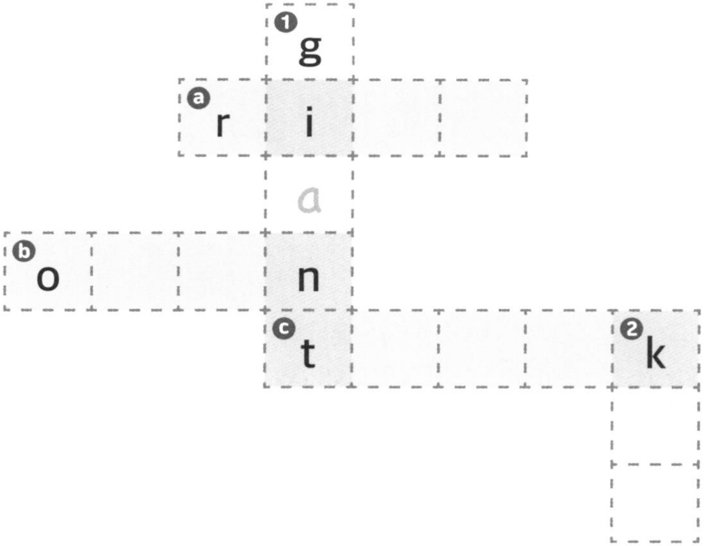

1

giant

2

a

b

c

Wrap Up! Part 3

A 이야기의 순서에 맞게 번호를 적어 보세요.

Grandma Thora said
that she loved the kids.

D.W. was glad that the mystery
babysitter was not a robot.

Grandma Thora was
the mystery babysitter.

The mystery babysitter
rang the doorbell.

B 그림의 각 부분을 올바르게 설명하는 문장을 찾아 빈칸에 맞는 기호를 넣어 보세요.

ⓐ It turned out that Grandma Thora was the mystery babysitter.

ⓑ D.W. was so happy that she jumped up and down.

ⓒ Arthur and D.W.'s babysitter was not what they imagined.

ⓓ Arthur felt good because Mr. Ratburn was not their babysitter.

C 다음 그림을 보고 아래의 단어를 알맞게 넣어 문장을 완성해 보세요.

breath　　on time　　rang

1 The doorbell ________ as Arthur and D.W. were still worried.

2 The mystery babysitter came right ________ .

3 Arthur and D.W. held their ________ .

D 책의 내용과 일치하면 TRUE에, 그렇지 않으면 FALSE에 동그라미를 그려 보세요.

1. The mystery babysitter was a pirate. TRUE FALSE
2. Arthur opened the door. TRUE FALSE
3. D.W. was glad when she saw their babysitter. TRUE FALSE
4. Grandma Thora thanked the kids. TRUE FALSE

E 다음 질문에 대한 알맞은 답을 골라 보세요.

What happened when the door opened?

a. Mr. Ratburn was at the door.

b. Grandma Thora came to babysit Arthur and D.W.

c. Arthur and D.W. were happy to see their regular babysitter.

Let's Write! Part 3

A 우리말에 맞게 네모 안에 있는 말을 바르게 배열해 보세요.

1 지금 분명 수수께끼 같은 베이비시터가 온 걸 거야.

must be 분명 ~일 것이다	That 저것은	now 지금	the mystery babysitter 수수께끼 같은 베이비시터

That must be ______________________.

2 그렇게 생각하지 않아요, 여보?

think, 생각하다	dear 여보	you 당신은	Don't ~하지 않니

______________________?

3 아서와 D.W.는 숨을 죽였습니다.

Arthur and D.W. 아서와 D.W.는	their breath 숨을	held 죽였다

______________________.

4 D.W.는 위아래로 폴짝폴짝 뛰었습니다.

jumped 폴짝폴짝 뛰었다	up and down 위아래로	D.W. D.W.는

.

5 저는 할머니가 해적이 아니어서 정말 기뻐요.

you're not 할머니가 ~이 아니어서	so glad 정말 기쁜	a pirate 해적	I'm 나는 ~이다

.

6 나 또한, 너희를 사랑한단다.

too 또한	I 나는	you, 너희를	love 사랑한다

.

Answers

Part 1

Word Review

A

1 

d d a

add

2 

s y u b

busy

3 

d r a e y

ready

B

1 

tonight

2 

worry

3 

regular

C

y	o	d	i	b	a	b	y
l	i	k	e	x	l	j	n
u	c	z	d	i	u	p	f
c	j	b	p	l	n	k	i
k	w	k	m	s	i	o	n
y	g	n	a	d	k	a	e
e	v	o	x	w	c	s	g
r	m	y	s	t	e	r	y

1 

lucky

2 

fine

3 

mystery

4 

baby

5 

like

Wrap Up!

A

3 D.W. didn't feel good about the mystery babysitter.

1 Mom and Dad were about to go out.

2 Mom and Dad couldn't get their regular babysitter.

4 The mystery babysitter would know all about Kate.

B

go out

insist

baby

worry

Mom and Dad were getting ready to go out.

Some babysitters might not like babies.

D.W. insisted on their regular babysitters.

Arthur and D.W. worried about Kate.

C

1. The mystery babysitter would also take care of Kate.
2. D.W. didn't feel lucky to have the mystery babysitter.
3. D.W. worried that the mystery babysitter didn't like babies.

D 1 FALSE 2 TRUE 3 FALSE 4 TRUE

E b

Let's Write!

A

1. We're used to — the regular babysitters.
2. We don't want — a mystery babysitter!
3. We were lucky — to get this one.
4. This babysitter knows — all about Kate.

Part 2
Word Review

A

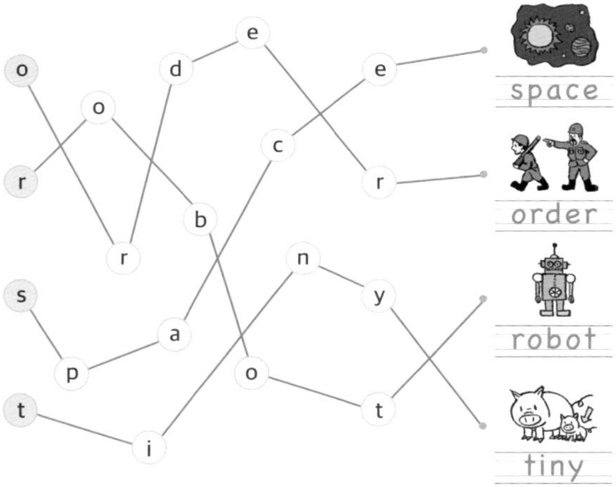

B

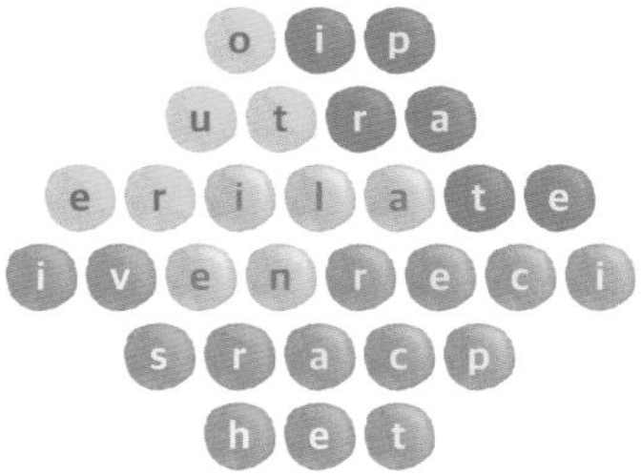

1 
pirate

2 
alien

3 
shiver

4 
practice

5 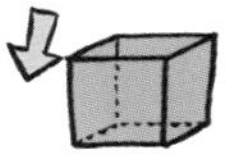
outer

Wrap Up!

A

1

Arthur and D.W. started thinking.

4

Mr. Ratburn could come to babysit them.

2

A robot could be the mystery babysitter.

3

Arthur thought about an alien babysitter.

B 1 a 2 a 3 b 4 a

C

1 Arthur worried that an alien would be their babysitter.

2 The alien babysitter would be in disguise .

3 Arthur gasped and thought of someone worse than aliens.

D 1 TRUE 2 FALSE 3 TRUE 4 FALSE

E b

Part 3
Word Review

A

soubreathwnjumpaitnodsgmhshoutdpydoorbellmaigtngrandmao

1

breath

2
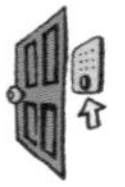
doorbell

3

nod

4

shout

5

jump

6

grandma

B

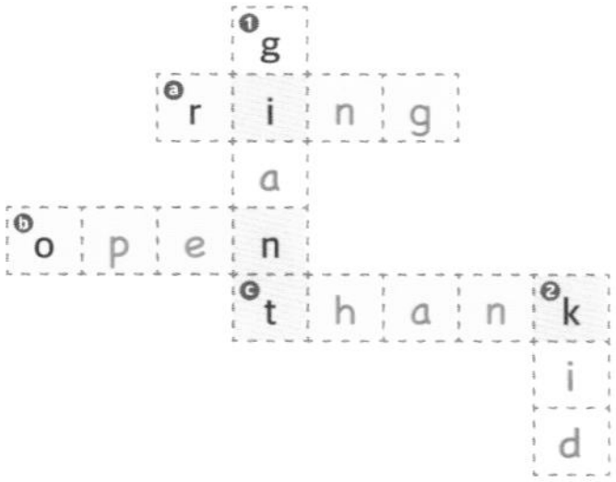

1

giant

2

kid

a

ring

b

open

c

thank

Wrap Up!

A

4

Grandma Thora said that she loved the kids.

3

D.W. was glad that the mystery babysitter was not a robot.

2

Grandma Thora was the mystery babysitter.

1

The mystery babysitter rang the doorbell.

B

C

1. The doorbell rang as Arthur and D.W. were still worried.
2. The mystery babysitter came right on time .
3. Arthur and D.W. held their breath .

D 1 FALSE 2 FALSE 3 TRUE 4 TRUE

E b

Let's Write!

A

1. That must be the mystery babysitter now.
2. Don't you think, dear?
3. Arthur and D.W. held their breath.
4. D.W. jumped up and down.
5. I'm so glad you're not a pirate.
6. I love you, too.

More Arthur Stories to Read!

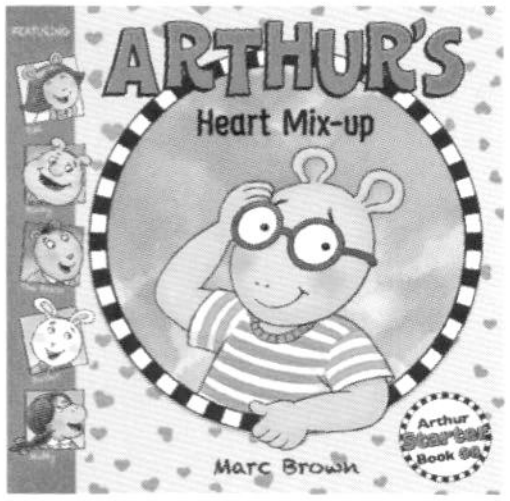

01 Arthur and the Big Snow

02 Arthur and the Dog Show

03 Arthur Helps Out

04 Arthur Jumps into Fall

05 Arthur Tells a Story

06 Arthur to the Rescue

07 Arthur's Birthday Surprise

08 Arthur's Heart Mix-Up

09 Arthur's Homework

10 Arthur's Jelly Beans

11 Arthur's Mystery Babysitter

12 Arthur's Off to School

13 Arthur's Tree House

재미있는 내용을 쉬운 문장과 간결한 표현으로 풀어 낸 기초 원서,
『아서 스타터(Arthur Starter)』 시리즈

아이들의 눈높이에 맞춘 유쾌한 이야기!
실생활에 바로 적용할 수 있는 영어 표현!

아서의 수수께끼 베이비시터

초판 발행 2022년 1월 3일

글·그림 마크 브라운
번역및콘텐츠감수 유아름 정소이
콘텐츠제작참여 기나현 선생님(경기 고양 일산중) 김수정 선생님(경기 부천 계남초)
이재영 선생님(서울 영등포 영림초) 임소연 선생님(경기 동두천 생연초)
영문감수 Julie Tofflemire
책임편집 유아름 정소이 김보경
디자인 모희정 이강효
저작권 김보경
마케팅 김보미 정경훈

기획 김승규
펴낸이 이수영
펴낸곳 롱테일북스
출판등록 제2015-000191호
주소 04033 서울특별시 마포구 양화로 113(서교동) 3층
전자메일 helper@longtailbooks.co.kr

ISBN 979-11-91343-35-9 14740